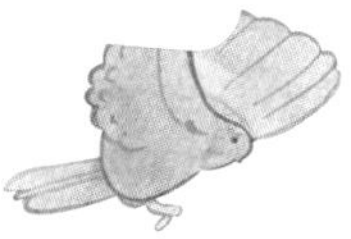

언택트 시대의

크리스천 가치관 수업

묵상노트

대|경|북|스

오늘의 주제

은혜와 진리

Logos & grace

본문 살전 1:2-3

우리가 너희 모두로 말미암아 항상 하나님께 감사하며 기도할 때에 너희를 기억함은 너희의 믿음의 역사와 사랑의 수고와 우리 주 예수 그리스도에 대한 소망의 인내를 우리 하나님 아버지 앞에서 끊임없이 기억함이니

외울 말씀

"그러나 노아는 여호와께 은혜를 입었더라."(창 6:8)

관련 동영상

성품이 인생을 결정한다

의문의 X(방정식)

빛의 정체

말씀 써보기

20_____년 ____월 ____일

말씀 새겨보기

Q1. 예수님이 하나님이심을 어떻게 알 수 있다고 했나요?

Q2. 은혜와 진리의 충만을 수학적 등식으로 나타내고 설명할 수 있나요?

Q3. 색의 삼원색과 믿음의 삼원색을 예를 들어 설명해 보세요?

Q4. 믿음의 3원색이 성령의 열매로 맺힐 때, 몇 가지의 열매로 맺히나요?

Q5. 9가지의 성령의 열매는 몇 가지의 성품으로 나타나나요?

오늘의 주제

인자와 진리

Merciful & Logos

본문 잠언 3:1-5

내 아들아. 나의 법을 잊어버리지 말고 네 마음으로 나의 명령을 지키라.

그리하면 그것이 네가 장수하여 많은 해를 누리게 하며 평강을 더하게 하리라. 인자와 진리가 네게서 떠나지 말게 하고 그것을 네 목에 매며 네 마음판에 새기라. 그리하면 네가 하나님과 사람 앞에서 은총과 귀중히 여김을 받으리라. 너는 마음을 다하여 여호와를 신뢰하고 네 명철을 의지하지 말라.

외울 말씀

"인자와 진리가 네게서 떠나지 말게 하고 그것을 네 목에 매며 네 마음판에 새기라."(잠 3:3)

관련 동영상

유전물질 DNA의 증명과 이중나선구조

암에 걸리는 이유

말씀 써보기

20______년 _____월 _____일

말씀 새겨보기

Q1. 신앙의 인격을 만드는 이중 나선 구조는 무엇과 무엇이라고 했나요?

Q2. 은혜와 진리의 이중 나선 구조가 서로 연합을 이루면 믿음의 삼원색이 나온다고 했는데, 믿음의 삼원색을 설명해 보세요?

Q3. 은혜와 진리가 없는 사람에게는 악의 이중 나선 구조가 생긴다고 했는데, 그것은 무엇과 무엇이라고 했나요?

Q4. 악의 이중 나선 구조는 무자비함과 불의인데, 이 성품을 가지고 길을 가는 사람의 마지막은 어디일까요?

Q5. 아름다운 신앙의 인격을 갖추어야 할 이유가 무엇인지 한 번 이야기 해 볼까요?

오늘의 주제

인격을 만드는 은혜의 힘

Power of grace to make personality

본문 요 1:12-16

영접하는 자 곧 그 이름을 믿는 자들에게는 하나님의 자녀가 되는 권세를 주셨으니 이는 혈통으로나 육정으로나 사람의 뜻으로 나지 아니하고 오직 하나님께로부터 난 자들이니라 말씀이 육신이 되어 우리 가운데 거하시매 우리가 그의 영광을 보니 아버지의 독생자의 영광이요 은혜와 진리가 충만하더라. 요한이 그에 대하여 증언하여 외쳐 이르되 내가 전에 말하기를 내 뒤에 오시는 이가 나보다 앞선 것은 나보다 먼저 계심이라 한 것이 이 사람을 가리킴이라 하니라 우리가 다 그의 충만한 데서 받으니 은혜 위에 은혜러라.

외울 말씀

"영접하는 자 곧 그 이름을 믿는 자들에게는 하나님의 자녀가 되는 권세를 주셨으니 이는 혈통으로나 육정으로나 사람의 뜻으로 나지 아니하고 오직 하나님께로부터 난 자들이니라."
(요 1:12-13)

관련 동영상

은혜

오드리 햅번

말씀 써보기

20_____년 ____월 ____일

말씀 새겨보기

Q1. 유니세프의 친선 홍보대사로 활약했던 세계적인 여 배우의 이름은 무엇이었죠?

Q2. 이 여 배우가 아사(餓死)의 위기에서 구원받을 수 있었던 것은 무엇 때문이었죠?

Q3. 여 배우가 은퇴 후 남은 생애를 구호와 사랑을 전달하는 일에 바친 이유는 무엇이었을까요?

Q4. 여러분은 은혜가 무엇이라고 이해했는지 한 번 적어 보세요?

Q5. 은혜는 나중 어떤 결과를 낳게 되는지 이야기해 볼 사람 손을 들어보세요?

오늘의 주제

무조건적 사랑

Grace - Unconditional love

본문 롬 11:1-6

그러므로 내가 말하노니 하나님이 자기 백성을 버리셨느냐 그럴 수 없느니라 나도 이스라엘인이요 아브라함의 씨에서 난 자요 베냐민 지파라.

하나님이 그 미리 아신 자기 백성을 버리지 아니하셨나니 너희가 성경이 엘리야를 가리켜 말한 것을 알지 못하느냐 그가 이스라엘을 하나님께 고발하되 주여 그들이 주의 선지자들을 죽였으며 주의 제단들을 헐어 버렸고 나만 남았는데 내 목숨도 찾나이다 하니 그에게 하신 대답이 무엇이냐 내가 나를 위하여 바알에게 무릎을 꿇지 아니한 사람 칠천 명을 남겨 두었다 하셨으니 그런즉 이와 같이 지금도 은혜로 택하심을 따라 남은 자가 있느니라 만일 은혜로 된 것이면 행위로 말미암지 않음이니 그렇지 않으면 은혜가 은혜 되지 못하느니라.

외울 말씀

"만일 은혜로 된 것이면 행위로 말미암지 않음이니 그렇지 않으면 은혜가 은혜 되지 못하느니라."(롬 11:6)

관련 동영상

엘리자베스 1세

자비의힘

말씀 써보기

20______년 _____월 _____일

말씀 새겨보기

Q1. 은혜의 뜻이 이해되었나요? 한 번 이야기하고 적어 보세요?

Q2. 은혜롭다는 것, 자비롭다는 것은 어떤 의미가 있나요?

Q3. 자비나 은혜를 느껴본 적이 있나요? 아니면 자비나 은혜가 필요했던 적이 있나요?

Q4. 은혜나 자비를 베풀어본 적이 있나요?

오늘의 주제

인격을 세우는 진리

Truth to build a personality

시 119:156-160

여호와여 주의 긍휼이 많으오니 주의 규례들에 따라 나를 살리소서

나를 핍박하는 자들과 나의 대적들이 많으나 나는 주의 증거들에서 떠나지 아니하였나이다 주의 말씀을 지키지 아니하는 거짓된 자들을 내가 보고 슬퍼하였나이다. 내가 주의 법도들을 사랑함을 보옵소서. 여호와여 주의 인자하심을 따라 나를 살리소서. 주의 말씀의 강령은 진리이오니 주의 의로운 모든 규례들은 영원하리이다.

외울 말씀

"주의 말씀의 강령은 진리이오니 주의 의로운 모든 규례들은 영원하리이다."(시 119:160)

관련 동영상

루터

진리란

말씀 써보기

20______년 ______월 ______일

말씀 새겨보기

Q1. 진리의 뜻이 이해되었나요? 한 번 이야기하고 적어 보세요?

Q2. 진리, 정의란 어떤 의미가 있나요? 만약 이 세상에 진리나 정의가 없다면 어떻게 될까요?

Q3. 진리의 반대말은 불법입니다. 혹시 불법을 해본 적 있나요? 그때 여러분의 양심은 어떠했나요?

Q4. 유혹의 순간에 원칙과 진실을 지켜본 적 있나요. 그랬을 때 기분이 어떠했나요?

오늘의 주제

인격의 씨줄

Latitude of personality

본문 요 8:31-32

그러므로 예수께서 자기를 믿은 유대인들에게 이르시되 너희가 내 말에 거하면 참으로 내 제자가 되고 진리를 알지니 진리가 너희를 자유롭게 하리라.

외울 말씀

"그러므로 예수께서 자기를 믿은 유대인들에게 이르시되 너희가 내 말에 거하면 참으로 내 제자가 되고 진리를 알지니 진리가 너희를 자유롭게 하리라."
(요 8:31-32)

관련 동영상

라과디아

인격.인성

말씀 써보기

20_____년 ____월 ____일

말씀 새겨보기

Q1. 라구아디아 판사는 왜 자비를 베풀지 않고 유죄 판결을 하였나요?

Q2. 진리는 원칙이고 정의라고 말하는데, 진리는 왜 원칙이고 정의일까요?

Q3. 만약 이 땅에서 진리, 즉 원칙과 정의가 사라지면 어떻게 될까요?

Q4. 하나님의 말씀, 예수님의 말씀이 진리인 이유는 무엇일까요?

오늘의 주제

은혜와 진리의 충만

Fullness of grace and truth

본문 살전 1:2-3

우리가 너희 모두로 말미암아 항상 하나님께 감사하며 기도할 때에 너희를 기억함은 너희의 믿음의 역사와 사랑의 수고와 우리 주 예수 그리스도에 대한 소망의 인내를 우리 하나님 아버지 앞에서 끊임없이 기억함이니

외울 말씀

"영접하는 자 곧 그 이름을 믿는 자들에게는 하나님의 자녀가 되는 권세를 주셨으니 이는 혈통으로나 육정으로나 사람의 뜻으로 나지 아니하고 오직 하나님께로부터 난 자들이니라."(요 1:12-13)

관련 동영상

니콜라이 2세 대관식

인자와 진리

말씀 써보기

20____년 ____월 ____일

말씀 새겨보기

Q1. 임금님이 선포한 법은 왜 지켜져야 했나요?

Q2. 왕자는 왜 용서받지 못했을까요?

Q3. 임금님은 어떤 방법으로 진리와 인자를 다 이루었나요? 만약 임금님이 왕자만 예외로 용서했다면 어떤 일이 일어났을까요?

Q4. 하나님은 죄를 지은 인간을 어떤 방법으로 용서하시고 죄에서 구원하셨나요?

Q5. 일상생활 속에서 은혜와 진리가 필요할 때는 언제였나요? 혹 경험해 본 적이 있거나 그런 것을 느낀 적이 있으면 이야기 해 보아요?

오늘의 주제

은혜와 진리의 적용 - 실천 1

Application of Grace and Truth - Practice 1

본문 잠언 16:1-6

마음의 경영은 사람에게 있어도 말의 응답은 여호와께로부터 나오느니라 사람의 행위가 자기 보기에는 모두 깨끗하여도 여호와는 심령을 감찰하시느니라. 너의 행사를 여호와께 맡기라 그리하면 네가 경영하는 것이 이루어지리라. 여호와께서 온갖 것을 그 쓰임에 적당하게 지으셨나니 악인도 악한 날에 적당하게 하셨느니라. 무릇 마음이 교만한 자를 여호와께서 미워하시나니 피차 손을 잡을지라도 벌을 면하지 못하리라. 인자와 진리로 인하여 죄악이 속하게 되고 여호와를 경외함으로 말미암아 악에서 떠나게 되느니라.

외울 말씀

"마땅히 행할 길을 아이에게 가르치라 그리하면 늙어도 그것을 떠나지 아니하리라."(잠언 22:6)

관련 동영상

청렴동화 '넘을까 말까'

바늘도둑

말씀 써보기

20_____년 ____월 ____일

말씀 새겨보기

Q1. 왜 자녀들을 키울 때 은혜와 진리로 키워야 할까요?

Q2. 은혜와 사랑만 강조하고, 진리와 정직함을 버렸을 때 자녀들은 어떻게 자라게 될까요?

Q3. 진리만 강조하고 사랑으로 키우지 않을 땐 또 어떤 일이 일어날까요?

Q4. 마땅히 행할 길에는 어떤 것이 있을까요?

오늘의 주제

은혜와 진리의 적용 - 실천 2

Application of Grace and Truth - Practice 2

본문 잠언 13:21-25

재앙은 죄인을 따르고 선한 보응은 의인에게 이르느니라. 선인은 그 산업을 자자손손에게 끼쳐도 죄인의 재물은 의인을 위하여 쌓이느니라. 가난한 자는 밭을 경작함으로 양식이 많아지거니와 불의로 말미암아 가산을 탕진하는 자가 있느니라. 매를 아끼는 자는 그의 자식을 미워함이라. 자식을 사랑하는 자는 근실히 징계하느니라 의인은 포식하여도 악인의 배는 주리느니라.

외울 말씀

"무릇 주의 인자는 커서 하늘에 미치고 주의 진리는 궁창에 이르나이다." (시 57:10)

관련 동영상

이순신 장군의 9가지 명언

성품과 리더십

말씀 써보기

20_____년 ____월 ____일

말씀 새겨보기

Q1. 이순신 장군의 리더십은 어떤 성품 때문이었다고 생각하나요?

Q2. 이순신 장군과 다윗 장군의 공통점은 무엇이라고 생각하나요?

Q3. 이순신 장군과 다윗 장군은 어떤 방법으로 진리와 인자를 다 이루었나요?

Q4. 만약 여러분이 리더라면 어떤 방법으로 은혜와 진리를 나타낼 수 있을까요?

Q5. 일상생활 속에서 은혜와 진리를 나타낸 적 있는지 서로 이야기 해 보아요?

오늘의 주제

모든 관계의 시작

The beginning of all relationships

롬 4:20-25

믿음이 없어 하나님의 약속을 의심하지 않고 믿음으로 견고하여져서 하나님께 영광을 돌리며 약속하신 그것을 또한 능히 이루실 줄을 확신하였으니 그러므로 그것이 그에게 의로 여겨졌느니라. 기록된 것은 아브라함만 위한 것이 아니요 의로 여기심을 받을 우리도 위함이니 곧 예수 우리 주를 죽은 자 가운데서 살리신 이를 믿는 자니라 예수는 우리가 범죄한 것 때문에 내줌이 되고 또한 우리를 의롭다 하시기 위하여 살아나셨느니라.

외울 말씀

"복음에는 하나님의 의가 나타나서 믿음으로 믿음에 이르게 하나니 기록된 바 오직 의인은 믿음으로 말미암아 살리라 함과 같으니라." (롬 1:17)

관련 동영상

티보잉

요한 복음 3장 16절

말씀 써보기

20_____년 ____월 ____일

말씀 새겨보기

Q1. 믿음이 무엇인가요?

Q2. 믿음과 신념, 혹은 될 것이라고 믿는 긍정적인 생각과는 어떻게 다를까요?

Q3. 믿음의 기초는 무엇인지 말해 보세요?

Q4. 믿음의 기초가 되는 성경이 약속의 말씀이라는 것을 어떻게 알 수 있을까요?

오늘의 주제

인격적 만남의 기초

The Basis of Personal Meeting

본문 요 1:16-20

내가 복음을 부끄러워하지 아니하노니 이 복음은 모든 믿는 자에게 구원을 주시는 하나님의 능력이 됨이라 먼저는 유대인에게요 그리고 헬라인에게로다 복음에는 하나님의 의가 나타나서 믿음으로 믿음에 이르게 하나니 기록된 바 오직 의인은 믿음으로 말미암아 살리라 함과 같으니라. 하나님의 진노가 불의로 진리를 막는 사람들의 모든 경건하지 않음과 불의에 대하여 하늘로부터 나타나나니 이는 하나님을 알 만한 것이 그들 속에 보임이라 하나님께서 이를 그들에게 보이셨느니라. 창세로부터 그의 보이지 아니하는 것들 곧 그의 영원하신 능력과 신성이 그가 만드신 만물에 분명히 보여 알려졌나니 그러므로 그들이 핑계하지 못할지니라.

외울 말씀

"내가 복음을 부끄러워하지 아니하노니 이 복음은 모든 믿는 자에게 구원을 주시는 하나님의 능력이 됨이라 먼저는 유대인에게요 그리고 헬라인에게로다." (롬 1:16)

관련 동영상

불의전차

믿음-신뢰의 기초

말씀 써보기

20_____년 ____월 ____일

말씀 새겨보기

Q1. 에릭이 가지고 있었던 믿음은 어떤 것이었나요?

Q2. 여우가 노린 것은 무엇이었나요?

Q3. 믿음의 반대말은 무엇인지 이야기해 보세요.

Q4. 여러분이 지키기 어려웠던 약속은 무엇이었는지, 또 그 이유는 무엇이었는지 서로 이야기해 봅시다.

오늘의 주제

동행하며 마음을 아는 것

To accompany and to know the heart

본문 12:5-6

믿음으로 에녹은 죽음을 보지 않고 옮기웠으니 하나님이 저를 옮기심으로 다시 보이지 아니하니라. 저는 옮기우기 전에 하나님을 기쁘시게 하는 자라 하는 증거를 받았느니라. 믿음이 없이는 기쁘시게 못하나니 하나님께 나아가는 자는 반드시 그가 계신 것과 또한 그가 자기를 찾는 자들에게 상 주시는 이심을 믿어야 할지니라.

외울 말씀

"믿음으로 에녹은 죽음을 보지 않고 옮기웠으니 하나님이 저를 옮기심으로 다시 보이지 아니하니라 저는 옮기우기 전에 하나님을 기쁘시게 하는 자라 하는 증거를 받았느니라."(히 11:5)

관련 동영상

태풍 동행

말씀 써보기

20_____년 ____월 ____일

말씀 새겨보기

Q1. 믿음은 무엇의 기초가 된다고 배웠나요?

Q2. 믿음은 무엇을 알 수 있는 기초가 된다고 했나요?

Q3. 믿음은 어떤 사람만이 가질 수 있는 것일까요?

Q4. 만약 여러분과 약속을 한 사람이 약속을 지키지 않으면 마음이 어떨까요? 마찬가지로 내가 약속을 어기면 그 사람의 마음은 어떨까요?

오늘의 주제

떳떳한 양심의 힘

The Power of conscientious conscience

본문 시 112:1-5

할렐루야, 여호와를 경외하며 그 계명을 크게 즐거워하는 자는 복이 있도다. 그 후손이 땅에서 강성함이여 정직자의 후대가 복이 있으리로다. 부요와 재물이 그 집에 있음이여 그 의가 영원히 있으리로다. 정직한 자에게는 흑암 중에 빛이 일어나나니 그는 어질고 자비하고 의로운 자로다. 은혜를 베풀며 꾸이는 자는 잘 되나니 그 일을 공의로 하리로다.

외울 말씀

"정직한 자에게는 흑암 중에 빛이 일어나나니 그는 어질고 자비하고 의로운 자로다."(시 112:4)

관련 동영상

리더 자질

양심

말씀 써보기

20_____년 ____월 ____일

말씀 새겨보기

Q1. 정직한 사람이 되어야 할 이유는 무엇일까요?

Q2. 정직하지 못하게 만드는 마음은 무엇인지 이야기해 보세요?

Q3. 유혹을 당할 때 정직한 사람은 어떻게 해야 하나요?

Q4. 만약 여러분 앞에 아무도 보지 못하는 돈이 떨어져 있다면 어떻게 할 것인가 돌아가며 이야기해 봅시다.

오늘의 주제

마음이 유쾌해요

I'm delighted

본문 잠 23:16-19

만일 네 입술이 정직을 말하면 내 속이 유쾌하리라. 네 마음으로 죄인의 형통을 부러워하지 말고 항상 여호와를 경외하라 정녕히 네 장래가 있겠고 네 소망이 끊어지지 아니하리라. 내 아들아 너는 듣고 지혜를 얻어 네 마음을 정로로 인도할지니라.

외울 말씀

"만일 네 입술이 정직을 말하면 내 속이 유쾌하리라."(잠 23:16)

관련 동영상

도덕성

한국 치안 테스트

말씀 써보기

20______년 _____월 _____일

말씀 새겨보기

Q1. 정직의 기초는 무엇인가요?

Q2. 정직한 마음을 가지려면 무엇을 가져야 한다고 했나요?

Q3. 정직한 영을 새롭게 할 때 받는 복은 무엇일까요?

Q4. 누군가 부정직하여 여러분의 마음을 괴롭혔다면 여러분은 어떤 마음이 들까요? 반대로 내가 누군가에게 부정직했다면 그 사람의 마음은 어떨까요?

오늘의 주제

흔들리지 않음

Not shaken

본문 시편 15:1-5

여호와여 주의 장막에 머무를 자 누구오며 주의 성산에 사는 자 누구오니이까 정직하게 행하며 공의를 실천하며 그의 마음에 진실을 말하며 그의 혀로 남을 허물하지 아니하고 그의 이웃에게 악을 행하지 아니하며 그의 이웃을 비방하지 아니하며 그의 눈은 망령된 자를 멸시하며 여호와를 두려워하는 자들을 존대하며 그의 마음에 서원한 것은 해로울지라도 변하지 아니하며 이자를 받으려고 돈을 꾸어 주지 아니하며 뇌물을 받고 무죄한 자를 해하지 아니하는 자이니 이런 일을 행하는 자는 영원히 흔들리지 아니하리이다.

외울 말씀

"여호와여 주의 장막에 머무를 자 누구오며 주의 성산에 사는 자 누구오니이까 정직하게 행하며 공의를 실천하며 그의 마음에 진실을 말하며 그의 혀로 남을 허물하지 아니하고 그의 이웃에게 악을 행하지 아니하며 그의 이웃을 비방하지 아니하며."(시 15:1-3)

관련 동영상

개구리

노숙자가 득템한 반지

말씀 써보기

20______년 _____월 _____일

말씀 새겨보기

Q1. 정직이란 어떤 것인가요?

Q2. 사람이 정직해야 할 순간 정직하지 못하는 것은 어떤 이유 때문일까요?

Q3. 정직한 사람에 대해 하나님은 무엇이라고 말씀하시나요?

Q4. 정직하지 못한 일을 했을 때는 어떻게 해야 빨리 회복할 수 있을까요?

Q5. 정직하게 행하여 기뻤던 적이 있었는지 서로 이야기해 보아요?

오늘의 주제

할 것을 다할 때 얻는 기쁨

The joy of getting everything done

본문 신명기 11:1

그런즉 네 하나님 여호와를 사랑하여 그가 주신 책무와 법도와 규례와 명령을 항상 지키라.

외울 말씀

"너는 네 식물을 물 위에 던지라. 여러 날 후에 도로 찾으리라."(전도서 11:1)

관련 동영상

유일한 박사　유일한 박사(영문)

말씀 써보기

20______년 ____월 ____일

말씀 새겨보기

Q1. 책임이란 어떤 것인가요?

Q2. 사람이 책임져야 할 순간에는 어떤 것이 있는지 서로 돌아가며 이야기해 봅시다.

Q3. 책임을 다하는 사람이 받는 칭찬은 무엇일까요?

Q4. 우리는 하나님이 책임을 다하시는 분이라는 것을 어떻게 알 수 있을까요?

오늘의 주제

사명을 다하는 것

Doing Your Mission

본문 신명기 11:1

그런즉 네 하나님 여호와를 사랑하여 그가 주신 책무와 법도와 규례와 명령을 항상 지키라.

외울 말씀

"그런즉 네 하나님 여호와를 사랑하여 그가 주신 책무와 법도와 규례와 명령을 항상 지키라."(신 11:1)

관련 동영상

기장의 고백

말씀 써보기

20_____년 ____월 ____일

말씀 새겨보기

Q1. 책임이란 어떤 것인가요?

Q2. 로마의 건축자들이 어떻게 책임을 기억하였는지 이야기해 봅시다.

Q3. 처칠과 히틀러의 책임감에는 어떤 차이가 있는지 이야기해 봅시다.

Q4. 책임이라는 가치관은 어떻게 하면 생길까요? 그리고 책임을 지는 성품은 어떻게 자랄까요?

오늘의 주제

만족함을 얻습니다

Get Satisfaction

본문 민수기 1:53

레위인은 증거의 성막 사방에 진을 쳐서 이스라엘 자손의 회중에게 진노가 임하지 않게 할 것이라 레위인은 증거의 성막에 대한 책임을 지킬지니라 하셨음이라.

외울 말씀

"너희가 너희의 땅에서 곡식을 거둘 때에 너는 밭 모퉁이까지 다 거두지 말고 네 떨어진 이삭도 줍지 말며 네 포도원의 열매를 다 따지 말며 네 포도원에 떨어진 열매도 줍지 말고 가난한 사람과 거류민을 위하여 버려두라 나는 너희의 하나님 여호와이니라."(레 19:9-10)

관련 동영상

신용호

말씀 써보기

20_____년 ____월 ____일

말씀 새겨보기

Q1. 케네디 대통령이 미국 국민들에게 가장 존경받는 두 번째 대통령으로 이름을 남긴 이유는 무엇인가요?

Q2. 교보문고가 세워진 배경에는 어떤 이야기가 있나요?

Q3. 성경에서 가진 자의 책임은 어떻게 기록되어 있나요?

Q4. 이스라엘 사람들이 어려서부터 받는 교육은 무엇이라고 했나요?

오늘의 주제

무섭지 않아요! 난 할 수 있어요!

It's not scary! I can do it!

삼상 16:17-20

사울이 신하에게 이르되 나를 위하여 잘 타는 사람을 구하여 내게로 데려오라 하니 소년 중 한 사람이 대답하여 이르되 내가 베들레헴 사람 이새의 아들을 본즉 수금을 탈 줄 알고 용기와 무용과 구변이 있는 준수한 자라 여호와께서 그와 함께 계시더이다 하더라 사울이 이에 전령들을 이새에게 보내어 이르되 양 치는 네 아들 다윗을 내게로 보내라 하매 이새가 떡과 한 가죽부대의 포도주와 염소 새끼를 나귀에 실리고 그의 아들 다윗을 시켜 사울에게 보내니.

외울 말씀

"소년 중 한 사람이 대답하여 이르되 내가 베들레헴 사람 이새의 아들을 본 즉 수금을 탈 줄 알고 용기와 무용과 구변이 있는 준수한 자라 여호와께서 그와 함께 계시더이다 하더라."(삼상 16:18)

관련 동영상

용기

말씀 써보기

20_____년 ____월 ____일

말씀 새겨보기

Q1. 나는 용기가 있는 사람인가요?

Q2. 용기 대신 겁을 내는 이유는 무엇일까요?

Q3. 어떻게 하면 겁 대신 용기를 가지게 될까요?

Q4. 성경에서 용기 있는 사람들은 어떻게 해서 용기를 얻었을까요?

오늘의 주제

마음의 엔진

Engine of mind

미가서 3:7-8

선견자가 부끄러워하며 술객이 수치를 당하여 다 입술을 가릴 것은 하나님이 응답하지 아니하심이거니와 오직 나는 여호와의 영으로 말미암아 능력과 정의와 용기로 충만해져서 야곱의 허물과 이스라엘의 죄를 그들에게 보이리라.

외울 말씀

"오직 나는 여호와의 영으로 말미암아 능력과 정의와 용기로 충만해져서 야곱의 허물과 이스라엘의 죄를 그들에게 보이리라."(미가서 3:8)

관련 동영상

넬슨 만델라

말씀 써보기

20_____년 ____월 ____일

말씀 새겨보기

Q1. 용기의 뜻이 이해되었나요? 한 번 이야기하고 적어 보세요?

Q2. 용기 있다는 것, 용맹하다는 것은 어떤 의미가 있나요?

Q3. 만델라나 고르바초프의 용기는 어떤 결과를 가져왔나요?
서로 이야기해 보아요.

Q4. 용기를 가지고 일했던 적이 있나요?

오늘의 주제

하고 싶은 일을 이루는 것

to do what you want to do

시 119:156-160

여호와여 주의 긍휼이 많으오니 주의 규례들에 따라 나를 살리소서

나를 핍박하는 자들과 나의 대적들이 많으나 나는 주의 증거들에서 떠나지 아니하였나이다 주의 말씀을 지키지 아니하는 거짓된 자들을 내가 보고 슬퍼하였나이다 내가 주의 법도들을 사랑함을 보옵소서 여호와여 주의 인자하심을 따라 나를 살리소서 주의 말씀의 강령은 진리이오니 주의 의로운 모든 규례들은 영원하리이다.

외울 말씀

"너는 담대하라 우리가 우리 백성과 우리 하나님의 성읍들을 위하여 담대히 하자 여호와께서 선히 여기시는 대로 행하시기를 원하노라 하고."(삼하 10:12)

관련 동영상

안용복

말씀 써보기

20____년 ____월 ____일

말씀 새겨보기

Q1. 용기란 무엇인가요? 왜 용기가 필요할까요?

Q2. 안용복 장군은 무엇을 위해 용기를 잃지 않았나요?

Q3. 여러분이 용기가 필요할 때는 언제였나요? 용기가 잘 생기지 않는 이유는 무엇일까요?

Q4. 도전이나 용기 없이 되는 일이 있을까요?

오늘의 주제

진리를 알 때 자유가 와요

The truth will make you free

요 8:31-34

그러므로 예수께서 자기를 믿은 유대인들에게 이르시되 너희가 내 말에 거하면 참으로 내 제자가 되고 진리를 알지니 진리가 너희를 자유롭게 하리라 그들이 대답하되 우리가 아브라함의 자손이라 남의 종이 된 적이 없거늘 어찌하여 우리가 자유롭게 되리라 하느냐 예수께서 대답하시되 진실로 너희에게 이르노니 죄를 범하는 자마다 죄의 종이라.

외울 말씀

"진리를 알지니 진리가 너희를 자유롭게 하리라."(요 8:34)

관련 동영상

장보고

말씀 써보기

20____년 ____월 ____일

말씀 새겨보기

Q1. 하나님이 주신 자유는 무엇인가요?

Q2. 자유한 사람은 어떤 생각을 가지게 된다고 생각하나요?

Q3. 장보고는 자신의 신분과 위치에 절망하지 않고 어떤 생각과 방법으로 해상왕, 바다의 신이라고 불리게 되었나요?

Q4. 하나님은 자유를 가진 우리에게 무엇을 부탁하셨나요?

오늘의 주제

자유는 방종하지 않아요

Liberty does not indulge

롬 13:12-13

밤이 깊고 낮이 가까웠으니 그러므로 우리가 어둠의 일을 벗고 빛의 갑옷을 입자 낮에와 같이 단정히 행하고 방탕하거나 술 취하지 말며 음란하거나 호색하지 말며 다투거나 시기하지 말고 오직 주 예수 그리스도로 옷 입고 정욕을 위하여 육신의 일을 도모하지 말라.

외울 말씀

"낮에와 같이 단정히 행하고 방탕하거나 술 취하지 말며 음란하거나 호색하지 말며 다투거나 시기하지 말고."(롬 13:12)

관련 동영상

대처수상

철의여인

말씀 써보기

20_____년 ____월 ____일

말씀 새겨보기

Q1. 자유에는 왜 책임이 따를까요?

Q2. 준비가 안 된 사람에게 울타리같은 제한은 왜 필요할까요?

Q3. 대처 총리는 영국 병을 어떻게 고쳤나요?

Q4. 대처 총리가 보여준 용기는 결국 어떤 것이었나요?

오늘의 주제

자유를 누릴 실력을 키우라

Increase your ability to enjoy liberty

벧전 4:1-5

그리스도께서 이미 육체의 고난을 받으셨으니 너희도 같은 마음으로 갑옷을 삼으라 이는 육체의 고난을 받은 자는 죄를 그쳤음이니 그 후로는 다시 사람의 정욕을 따르지 않고 하나님의 뜻을 따라 육체의 남은 때를 살게 하려 함이라 너희가 음란과 정욕과 술취함과 방탕과 향락과 무법한 우상 숭배를 하여 이방인의 뜻을 따라 행한 것은 지나간 때로 족하도다 이러므로 너희가 그들과 함께 그런 극한 방탕에 달음질하지 아니하는 것을 그들이 이상히 여겨 비방하나 그들이 산 자와 죽은 자를 심판하기로 예비하신 이에게 사실대로 고하리라.

외울 말씀

"그리스도께서 이미 육체의 고난을 받으셨으니 너희도 같은 마음으로 갑옷을 삼으라 이는 육체의 고난을 받은 자는 죄를 그쳤음이니."(벧전 4:1)

관련 동영상

파키스탄소년 이크발

말씀 써보기

20_____년 ____월 ____일

말씀 새겨보기

Q1. 자유를 누릴 사람이 실력을 키워야 할 이유가 무엇일까요?

Q2. 이크발의 자유를 향한 용기에 대해 무엇을 느꼈나요?

Q3. 내가 만약 대통령이라면 국민들에게 자유를 어떻게 설명할 수 있을까요?

오늘의 주제

나를 존중하듯이 남도 존중해요

Respect for me as I respect you

본문 눅 6:31-33

남에게 대접을 받고자 하는 대로 너희도 남을 대접하라 너희가 만일 너희를 사랑하는 자만을 사랑하면 칭찬 받을 것이 무엇이냐 죄인들도 사랑하는 자는 사랑하느니라 너희가 만일 선대하는 자만을 선대하면 칭찬 받을 것이 무엇이냐 죄인들도 이렇게 하느니라.

외울 말씀

"남에게 대접을 받고자 하는 대로 너희도 남을 대접하라."(눅 6:31)

관련 동영상

강영우 박사

말씀 써보기

20_____년 ____월 ____일

말씀 새겨보기

Q1. 아기토끼가 다른 동물들로부터 칭찬을 받게 된 결정적인 계기는 무엇인가요?

Q2. 강영우 박사님이 받았던 고난을 생각하면서 그가 가졌을 고통을 한 번 이야기해 봅시다.

Q3. 강영우 박사님이 스스로 일어서서 결국 멋지고 훌륭한 삶을 살아내게 된 결정적인 이유는 무엇이라고 생각하나요?

Q4. 만약 내 자신이 위기와 아픔에 처한다면 자기 자신을 진정으로 존중할 수 있을지 솔직하게 이야기해 봅시다.

오늘의 주제

모두가 귀해요

Everyone's precious

본문 사 32:7-8

악한 자는 그 그릇이 악하여 악한 계획을 세워 거짓말로 가련한 자를 멸하며 가난한 자가 말을 바르게 할지라도 그리함이거니와 존귀한 자는 존귀한 일을 계획하나니 그는 항상 존귀한 일에 서리라.

외울 말씀

"존귀한 자는 존귀한 일을 계획하나니 그는 항상 존귀한 일에 서리라."
(사 32:8)

관련 동영상

세클턴

말씀 써보기

20______년 _____월 _____일

말씀 새겨보기

Q1. 존중이란 무엇인지 서로 돌아가며 이야기해 봅시다.

Q2. 스테판의 북극 탐험은 왜 실패하였는지 이야기해 봅시다.

Q3. 새클턴은 어떻게 하여 위기에서 조난당한 대원들 전원을 구조할 수 있었나요?

Q4. 다름 사람에게 존중을 받을 때 내 마음이 어떠했나요?

오늘의 주제

존귀함을 받아요

To be honest

본문 사 32:5-6

어리석은 자를 다시 존귀하다 부르지 아니하겠고 우둔한 자를 다시 존귀한 자라 말하지 아니하리니 이는 어리석은 자는 어리석은 것을 말하며 그 마음에 불의를 품어 간사를 행하며 패역한 말로 여호와를 거스르며 주린 자의 속을 비게 하며 목마른 자에게서 마실 것을 없어지게 함이며

외울 말씀

"어리석은 자를 다시 존귀하다 부르지 아니하겠고 우둔한 자를 다시 존귀한 자라 말하지 아니하리니."(사 32:5)

관련 동영상

땅콩

말씀 써보기

20_____년 ____월 ____일

말씀 새겨보기

Q1. 조지 커버의 땅콩 사랑은 무엇 때문이었을까요?

Q2. 조지 커버가 사람들을 존중하며 땅콩 연구에 심혈을 쏟은 결과 얻은 축복은 무엇일까요?

Q3. 예수님은 우리를 사랑하고 존중하시기 위해 어떤 일을 하셨는지 돌아가며 서로 이야기해 봅시다.

Q4. 존중받고 사랑받기 위해 우리는 어떤 가치관을 가지고 어떤 성품을 지녀야 할까요?

오늘의 주제

이끌지 말고 따르게 하라

Do not let follow lead

본문 딤전 4:11-16

너는 이것들을 명하고 가르치라 누구든지 네 연소함을 업신여기지 못하게 하고 오직 말과 행실과 사랑과 믿음과 정절에 있어서 믿는 자에게 본이 되어 내가 이를 때까지 읽는 것과 권하는 것과 가르치는 것에 전념하라 네 속에 있는 은사 곧 장로의 회에서 안수 받을 때에 예언을 통하여 받은 것을 가볍게 여기지 말며 이 모든 일에 전심 전력하여 너의 성숙함을 모든 사람에게 나타나게 하라 네가 네 자신과 가르침을 살펴 이 일을 계속하라 이것을 행함으로 네 자신과 네게 듣는 자를 구원하리라.

외울 말씀

"누구든지 네 연소함을 업신여기지 못하게 하고 오직 말과 행실과 사랑과 믿음과 정절에 있어서 믿는 자에게 본이 되어 내가 이를 때까지 읽는 것과 권하는 것과 가르치는 것에 전념하라."(딤전 4:12,13)

관련 동영상

6일전쟁의 기적

이스라엘 탄생의 기적

말씀 써보기

20______년 ______월 ______일

말씀 새겨보기

Q1. 작은 나라 이스라엘이 전쟁에서 항상 이기는 이유는 무엇일까요?

Q2. 솔선수범해야 할 이유는 무엇일까요?

Q3. 만약 우리나라에도 전쟁과 같은 위기가 찾아 온다면 나는 어떻게 할 것 같나요?

Q4. 가정에서나 학교, 그리고 교회에서 내가 해야할 솔선수범에는 어떤 것이 있는지 돌아가며 서로 이야기해 봅시다.

오늘의 주제

아무도 하지 않을 때라도

Even when nobody is doing

본문 눅 6:31-33

남에게 대접을 받고자 하는 대로 너희도 남을 대접하라 너희가 만일 너희를 사랑하는 자만을 사랑하면 칭찬받을 것이 무엇이냐 죄인들도 사랑하는 자는 사랑하느니라 너희가 만일 선대하는 자만을 선대하면 칭찬받을 것이 무엇이냐 죄인들도 이렇게 하느니라.

외울 말씀

"남에게 대접을 받고자 하는 대로 너희도 남을 대접하라."(눅 6:31)

관련 동영상

레이첼 카슨

말씀 써보기

20_____년 ____월 ____일

말씀 새겨보기

Q1. 솔선수범이란 어떤 가치이며 행동인지 설명해 보세요?

Q2. 레이첼 카슨의 솔선수범이 위대한 이유는 무엇인지 이야기해 보세요.

Q3. 나는 왜 잘 솔선수범하지 못하는지 돌아가면서 이야기해 보세요.

Q4. 나는 앞으로 어떻게 솔선수범을 가까운 데서부터 실천할 것인지 이야기해 봅시다.

오늘의 주제

사랑하기 때문에

Because I love you

본문 딛 2:7-10

범사에 네 자신이 선한 일의 본을 보이며 교훈에 부패하지 아니함과 단정함과 책망할 것이 없는 바른 말을 하게 하라 이는 대적하는 자로 하여금 부끄러워 우리를 악하다 할 것이 없게 하려 함이라 종들은 자기 상전들에게 범사에 순종하여 기쁘게 하고 거슬러 말하지 말며 훔치지 말고 오히려 모든 참된 신실성을 나타내게 하라 이는 범사에 우리 구주 하나님의 교훈을 빛나게 하려 함이라.

외울 말씀

"범사에 네 자신이 선한 일의 본을 보이며 교훈에 부패하지 아니함과 단정함과"(딛 2:7)

관련 동영상

그룬트비 목사

말씀 써보기

20_____년 ____월 ____일

말씀 새겨보기

Q1. 독일과의 전쟁에서 진 덴마크 국민들에게 희망을 불어 넣어준 분은 누구인가요?

Q2. 그룬트비 목사님은 덴마크의 국부라고 부릅니다. 그분의 업적은 한 마디로 무엇이라고 이야기할 수 있나요?

Q3. 솔선수범하는 동기는 무엇일까요?

Q4. 그룬트비 목사님처럼 내가 해야 할 솔선수범에는 어떤 것이 있을지 서로 토의해 봅시다.

오늘의 주제

주변이 정리되면 마음도 깨끗해요

When the surroundings are clear, the mind is clean

본문 고전 14:40

모든 것을 품위 있게 하고 질서 있게 하라.

외울 말씀

"모든 것을 품위 있게 하고 질서 있게 하라."(고전 14:40)

관련 동영상

청소의 힘

말씀 써보기

20______년 _____월 _____일

말씀 새겨보기

Q1. 정약용 선생님은 임금님의 부탁을 어떻게 처리했나요?

Q2. 컨테이너는 어떻게 해서 생겨나게 되었나요?

Q3. 내 주변에서 정리가 잘 안 되는 부분은 어떤 곳인가요? 그것을 정리하기 위한 방법은 무엇일까요?

Q4. 생각을 정리하여 무엇인가를 발견하거나 발명한 적이 있는지 서로 돌아가며 이야기해 봅시다.

오늘의 주제

훈련을 통해 정돈하는 습관을 길러요

You get to practice habits

딤전 3:2

그러므로 감독(지도자)은 책망할 것이 없으며 한 아내의 남편이 되며 절제하며 신중하며 단정하며 나그네를 대접하며 가르치기를 잘하며

외울 말씀

"그러므로 감독은 책망할 것이 없으며 한 아내의 남편이 되며 절제하며 신중하며 단정하며 나그네를 대접하며 가르치기를 잘하며"(딤전 3:2)

관련 동영상

플레밍

말씀 써보기

20______년 _____월 _____일

말씀 새겨보기

Q1. 알렉산더 플레밍이 페니실린을 발견하게 된 궁극적인 행동은 무엇이었을까요?

Q2. 알렉산더 플레밍이 노벨상을 받기까지 가장 큰 노력은 무엇이라고 생각하나요?

Q3. 주변이나 책상을 정리하지 않을 때 내 자신이 입게 되는 손해는 무엇일까요?

Q4. 생각과 아이디어를 도둑당하지 않으려면 어떻게 해야 하는지 서로 돌아가며 이야기해 봅시다.

오늘의 주제

일목요연하게 정리하는 성품

Character to organize at a glance

딤전 3:2

그러므로 감독(교회 지도자)은 책망할 것이 없으며 한 아내의 남편이 되며 절제하며 신중하며 단정하며 나그네를 대접하며 가르치기를 잘하며

외울 말씀

"그러므로 감독은 책망할 것이 없으며 한 아내의 남편이 되며 절제하며 신중하며 단정하며 나그네를 대접하며 가르치기를 잘하며"(딤전 3:2)

관련 동영상

정약전

말씀 써보기

20_____년 ____월 ____일

말씀 새겨보기

Q1. 정약전 선생이 흑산도 유배 생활 속에서도 위대한 업적을 남길 수 있었던 것은 어떤 이유 때문이었을까요?

Q2. 정약전 선생이 《자산어보》를 저술했던 비결 중의 한 가지는 관찰하고 메모하고 정리하는 습관 때문이었는데, 나는 어느 정도 메모의 습관이 있는지 이야기해 봅시다.

Q3. 메모를 꼭 해야 할 이유가 무엇일까요?

Q4. 나에게 가장 적합한 메모 습관은 어떤 것인지 지나온 시간을 돌아보며 이야기해 봅시다.

오늘의 주제

서로 원망이 없게 해요

Make each other grumble

본문 잠 11:1-5

속이는 저울은 여호와께서 미워하시나 공평한 추는 그가 기뻐하시느니라 교만이 오면 욕도 오거니와 겸손한 자에게는 지혜가 있느니라.

정직한 자의 성실은 자기를 인도하거니와 사악한 자의 패역은 자기를 망하게 하느니라 재물은 진노하시는 날에 무익하나 공의는 죽음에서 건지느니라 완전한 자의 공의는 자기의 길을 곧게 하려니와 악한 자는 자기의 악으로 말미암아 넘어지리라.

외울 말씀

"속이는 저울은 여호와께서 미워하시나 공평한 추는 그가 기뻐하시느니라." (잠 11:1)

관련 동영상

성공학의 황금률

마틴루터 킹

말씀 써보기

20______년 _____월 _____일

말씀 새겨보기

Q1. 타인을 위한 희생적 삶이 왜 중요한지 옐친 대통령으로부터 시작된 이야기를 서로 나누어 봅시다.

Q2. 하나님이 만드신 세상이 늘 전쟁과 폭동과 위기 가운데 놓이게 된 것은 하나님이 잘못하신 건가요, 아니면 사람들의 잘못 때문인가요?

Q3. 무너진 세상의 기초를 새롭게 놓도록 공평한 일을 시작하신 분은 누구일까요? 그분이 하신 일을 이야기해 봅시다.

Q4. 예수님은 십자가를 통해 세상의 궁극적 문제의 해결이 희생에 있다는 것을 보여 주셨습니다. 여러분들 중 문제의 완벽한 해결을 위해 희생을 통해 공평을 세운 적이 있는지 돌아가며 이야기해 봅시다.

오늘의 주제

둘 다 같아요

Both are equal

본문 시 96:10

모든 나라 가운데서 이르기를 여호와께서 다스리시니 세계가 굳게 서고 흔들리지 않으리라 그가 만민을 공평하게 심판하시리라 할지로다.

외울 말씀

"공평한 저울과 공평한 추와 공평한 에바와 공평한 힘을 사용하라 나는 너희를 인도하여 애굽 땅에서 나오게 한 너희의 하나님 여호와이니라."(레 19:36)

관련 동영상

최부자

말씀 써보기

20_____년 _____월 _____일

말씀 새겨보기

Q1. 세상이 공평하지 못한 가장 근본적인 이유는 무엇일까요?

Q2. 최 부자집처럼 이웃을 돌볼 줄 아는 사람이 존재하는 이유는 무엇일까요?

Q3. 살아오면서 공평과 공정한 대우를 받지 못한 적이 있었는지 생각해 보고, 그러한 기억들이 내 마음을 어떻게 바꾸었는지 이야기해 봅시다.

Q4. 공평한 사람이 되기 위해 우리가 추구해야 할 가장 중요한 방법은 무엇일까요?

오늘의 주제

서로 행복해 지는 지름길

A shortcut to happiness

본문 잠 8:20- 21

나는 의로운 길로 행하며 공평한 길 가운데로 다니나니 이는 나를 사랑하는 자로 재물을 얻어서 그 곳간에 채우게 하려 함이니라.

외울 말씀

"나는 의로운 길로 행하며 공평한 길 가운데로 다니나니 이는 나를 사랑하는 자로 재물을 얻어서 그 곳간에 채우게 하려 함이니라."(잠 8:20- 21)

관련 동영상

송명희

말씀 써보기

20______년 ____월 ____일

말씀 새겨보기

Q1. 세상이 공평하지 못하다고 생각하는 이유는 무엇일까요?

Q2. 자신은 공평하지 못하면서 공평한 대우를 바라는 우리의 마음은 왜 생길까요?

Q3. 우리 믿는 하나님의 자녀들이 마지막까지 공평과 정의를 실천해야 할 이유는 무엇일까요?

Q4. 오늘 학교나 직장에서 이웃들에게 실천할 수 있는 가장 쉬운 공평과 정의는 무엇인지 돌아가면 발표해 봅시다.

오늘의 주제

마음이 넓으면 반대가 없어요

If not heart is wide opposition

본문 빌 4:5

너희 관용을 모든 사람에게 알게 하라 주께서 가까우시니라.

외울 말씀

“너희 관용을 모든 사람에게 알게 하라 주께서 가까우시니라.”(빌 4:5)

관련 동영상

아브라함

관용

태국광고 〈관용〉

말씀 써보기

20_____년 ____월 ____일

말씀 새겨보기

Q1. 우리가 관용하지 못하는 이유는 무엇 때문일까요?

Q2. 나에게 잘못한 사람을 아직도 용서하지 못하는 게 있는지 서로 돌아보며 이야기해 봅시다.

Q3. 아브라함이 조카에게 관용할 수 있었던 이유는 어디에 있었을까요?

Q4. 오늘 내가 베풀 수 있는 작은 관용은 무엇일지 서로 돌아가며 이야기 해 봅시다.

Q5. 일상생활 속에서 관용이 필요할 때는 언제였나요? 혹 경험해 본 적이 있거나 그런 것을 느낀 적이 있으면 이야기해 보아요?

오늘의 주제

마음을 넓히면 문제가 없어요

Widen your hearts do not have a problem

본문 몬 1:7

형제여 성도들의 마음이 너로 말미암아 평안함을 얻었으니 내가 너의 사랑으로 많은 기쁨과 위로를 얻었노라.

외울 말씀

"아무도 비방하지 말며 다투지 말며 관용하며 범사에 온유함을 모든 사람에게 나타낼 것을 기억하게 하라."(딛 3:2)

관련 동영상

아빠의 마음

세상에서 가장 귀한 이야기

말씀 써보기

20_____년 ____월 ____일

말씀 새겨보기

Q1. 빌레몬이 가졌던 아름다운 마음은 어떤 것이었을까요?

Q2. 왜 우리는 용서하고 관용으로 가슴에 포용하며 살아야 할까요?

Q3. 내가 아직도 용서하고 관용으로 포용하지 못하는 사람은 누구인지 고백해 보고, 어떻게 용서하고 가슴에 품을 것인지 돌아가며 이야기 해 봅시다.

Q4. 내가 다른 사람을 용서하고 관용으로 마음에 품어야 할 이유를 주기문에서 찾아 이야기를 나누어봅시다.

오늘의 주제

마음이 넓은 만큼 세상이 보여요

Mind I see the world as a large

본문 약 3:17

오직 위로부터 난 지혜는 첫째 성결하고 다음에 화평하고 관용하고 양순하며 긍휼과 선한 열매가 가득하고 편견과 거짓이 없나니.

외울 말씀

"오직 위로부터 난 지혜는 첫째 성결하고 다음에 화평하고 관용하고 양순하며 긍휼과 선한 열매가 가득하고 편견과 거짓이 없나니."(약 3:17)

관련 동영상

선한사마리아인

말씀 써보기

20_____년 ____월 ____일

말씀 새겨보기

Q1. 토끼를 두려워한 호랑이를 생각하면서, 우리가 살면서 왜 소문이나 다른 사람의 평판에 민감하게 반응할까요?

Q2. 판사 출신 정치인이 위대한 이유는 무엇일까요?

Q3. 리더로 세워지려면 어떤 성품을 더 키워야 할까요?

Q4. 관용으로 품지 못하는 사람이 있다면 이 시간 내어놓고 그를 용서하고, 품을 수 있는 방법을 한번 찾아봅시다.

오늘의 주제

순서와 절차가 열매를 맺어요

Order and procedure bear fruit

본문 골 2:5

이는 내가 육신으로는 떠나 있으나 심령으로는 너희와 함께 있어 너희가 질서 있게 행함과 그리스도를 믿는 너희 믿음이 굳건한 것을 기쁘게 봄이라

외울 말씀

"이는 내가 육신으로는 떠나 있으나 심령으로는 너희와 함께 있어 너희가 질서 있게 행함과 그리스도를 믿는 너희 믿음이 굳건한 것을 기쁘게 봄이라."
(골 2:5)

관련 동영상

버스정류장

말씀 써보기

20_____년 ____월 ____일

말씀 새겨보기

Q1. 사람이 질서를 무시하는 이유가 무엇일까요?

Q2. 사람이 살면서 챙겨야 할 가장 우선되는 질서와 준비는 무엇일까요?

Q3. 질서가 결국은 열매를 맺는 이유는 무엇인지 서로 돌아가며 이야기 해 봅시다.

Q4. 순서와 질서를 잘 지키지 못해 낭패를 당한 적은 없는지 이야기해 봅시다.

오늘의 주제

순서와 절차는 불편해도 공평해요

Order and procedure are fair, even if uncomfortable

본문 민 28:24

너희는 이 순서대로 이레 동안 매일 여호와께 향기로운 화제의 음식을 드리되 상번제와 그 전제 외에 드릴 것이며

외울 말씀

"비 내리는 법칙을 정하시고 비구름의 길과 우레의 법칙을 만드셨음이라."
(욥 28:26)

관련 동영상

김득신

말씀 써보기

20_____년 ____월 ____일

말씀 새겨보기

Q1. 순서와 질서를 지키는 것이 왜 불편하고 힘든지 이야기해 봅시다.

Q2. 순서와 질서를 지키는 것이 결국 다른 사람뿐 아니라 나에게도 유익하다는 것을 어떻게 알 수 있나요?

Q3. 순서를 지키는 것이 기초를 만드는 것과 같다는 생각에 대해 서로 돌아가면 이야기해 봅시다.

Q4. 순서와 질서를 잘 지켜 결국 도움이 되었던 기억이 있는지 서로 돌아가며 이야기해 봅시다.

오늘의 주제

질서와 권위는 나를 위해 필요한 것

Order and authority are what I need for me

본문 롬 1:26.27

이 때문에 하나님께서 그들을 부끄러운 욕심에 내버려 두셨으니 곧 그들의 여자들도 순리대로 쓸 것을 바꾸어 역리로 쓰며 그와 같이 남자들도 순리대로 여자 쓰기를 버리고 서로 향하여 음욕이 불 일듯 하매 남자가 남자와 더불어 부끄러운 일을 행하여 그들의 그릇됨에 상당한 보응을 그들 자신이 받았느니라

외울 말씀

"여호와께서 다스리시니 스스로 권위를 입으셨도다 여호와께서 능력의 옷을 입으시며 띠를 띠셨으므로 세계도 견고히 서서 흔들리지 아니하는도다."(시편 93:1)

관련 동영상

동성애

말씀 써보기

20______년 ____월 ____일

말씀 새겨보기

Q1. 우리가 힘들어도 순리대로 살아야 할 이유가 무엇일까요?

Q2. 사람들이 순리를 왜 역리로 바꾸어 살까요?

Q3. 혹시라도 내가 순리를 거스려 역리로 산 적은 없는지 서로 돌아가며 이야기해 봅시다.

Q4. 하나님 앞에 순리를 따라 살려면 어떻게 하는 것이 가장 효과적일지 서로 돌아가며 이야기해 봅시다.

오늘의 주제

하나님을 공경하라

Honor God

본문 요 5:23-24

이는 모든 사람으로 아버지를 공경하는 것 같이 아들을 공경하게 하려 하심이라 아들을 공경하지 아니하는 자는 그를 보내신 아버지도 공경하지 아니하느니라 내가 진실로 너희에게 이르노니 내 말을 듣고 또 나 보내신 이를 믿는 자는 영생을 얻었고 심판에 이르지 아니하나니 사망에서 생명으로 옮겼느니라.

외울 말씀

"네 재물과 네 소산물의 처음 익은 열매로 여호와를 공경하라."(잠 3:9)

관련 동영상

메시야 곡의 비밀

말씀 써보기

20_____년 ____월 ____일

말씀 새겨보기

Q1. 왜 우리는 오직 하나님만을 공경하여야 할까요?

Q2. 하나님을 공경하지 않는 사람들은 사실 누구를 공경하나요?

Q3. 하나님을 공경하는 방법들에는 어떤 것이 있는지 돌아가며 이야기 해 보아요?

Q4. 하나님을 공경하는 것과 예수님을 공경하는 것의 차이를 이야기해 보세요.

오늘의 주제

지혜의 근본

Base of wisdom

본문 벧전 2:16-18

너희는 자유가 있으나 그 자유로 악을 가리는 데 쓰지 말고 오직 하나님의 종과 같이 하라 뭇 사람을 공경하며 형제를 사랑하며 하나님을 두려워하며 왕을 존대하라 사환들아 범사에 두려워함으로 주인들에게 순종하되 선하고 관용하는 자들에게만 아니라 또한 까다로운 자들에게도 그리하라.

외울 말씀

"네 부모를 공경하라 그리하면 너의 하나님 나 여호와가 네게 준 땅에서 네 생명이 길리라."(출 20:12)

관련 동영상

함수

말씀 써보기

20_____년 ____월 ____일

말씀 새겨보기

Q1. 부모를 공경하는 방법은 순종입니다. 왜 부모님에겐 항상 순종해야 할까요?

Q2. 공경은 왜 해야 하며, 어떤 대상에게 하는 것입니까?

Q3. 하나님은 왜 공경할 자를 공경하라고 하셨을까요?

Q4. 권위를 인정하고 공경하는 것이 과연 중요한 일인지 서로 돌아가며 이야기해 봅시다.

오늘의 주제

공경의 힘

The power of Honor

본문 레 19:3

너희 각 사람은 부모를 경외하고 나의 안식일을 지키라 나는 너희 하나님 여호와니라.

외울 말씀

"하나님이 이르셨으되 네 부모를 공경하라 하시고 또 아비나 어미를 훼방하는 자는 반드시 죽으리라 하셨거늘"(마 15:4)

관련 동영상

가시고기

말씀 써보기

20_____년 ____월 ____일

말씀 새겨보기

Q1. 가시고기의 자식 사랑과 부모님들의 자식 사랑을 비교해 보세요.

Q2. 우리가 진정으로 하나님을 공경하는 것 같이 부모님을 공경하여야 할 이유가 무엇일까요?

Q3. 공경하는 힘은 어디에서 나올까요?

Q4. 내가 부모를 잘 공경하면 나중에 어떤 일이 생길까요?

오늘의 주제

성품이 인격을 바꾼다

The character's personality changes

읽을 말씀 롬 12:1-2

그러므로 형제들아 내가 하나님의 모든 자비하심으로 너희를 권하노니 너희 몸을 하나님이 기뻐하시는 거룩한 산 제물로 드리라 이는 너희가 드릴 영적 예배니라 너희는 이 세대를 본받지 말고 오직 마음을 새롭게 함으로 변화를 받아 하나님의 선하시고 기뻐하시고 온전하신 뜻이 무엇인지 분별하도록 하라.

외울 말씀

"너희는 이 세대를 본받지 말고 오직 마음을 새롭게 함으로 변화를 받아 하나님의 선하시고 기뻐하시고 온전하신 뜻이 무엇인지 분별하도록 하라."(롬 12:2)

관련 동영상

이순신

말씀 써보기

20_____년 ____월 ____일

말씀 새겨보기

Q1. 우리가 배운 가치관과 성품은 어디서부터 시작된 것인지 되돌아봅시다.

Q2. 믿음 · 소망 · 사랑에 대해, 그리고 인자와 진리에 대해 아는 대로 이야기해 봅시다.

Q3. 하나님의 가치관, 성품을 삶에서 어떻게 드러내야 하나님이 영광을 받으실까요?

Q4. 오늘날 세상에서 그리스도인들이 손가락질을 받지 않으려면 어떻게 해야 할까요? 서로 돌아가며 이야기해 봅시다.

오늘의 주제

하늘에는 영광, 땅에는 평화

Glory in the sky, peace in the land

본문 롬 10:9-13

네가 만일 네 입으로 예수를 주로 시인하며 또 하나님께서 그를 죽은 자 가운데서 살리신 것을 네 마음에 믿으면 구원을 받으리라 사람이 마음으로 믿어 의에 이르고 입으로 시인하여 구원에 이르느니라 성경에 이르되 누구든지 그를 믿는 자는 부끄러움을 당하지 아니하리라 하니 유대인이나 헬라인이나 차별이 없음이라 한 분이신 주께서 모든 사람의 주가 되사 그를 부르는 모든 사람에게 부요하시도다 누구든지 주의 이름을 부르는 자는 구원을 받으리라.

외울 말씀

"사람이 마음으로 믿어 의에 이르고 입으로 시인하여 구원에 이르느니라." (롬 10:19)

관련 동영상

영화 〈It's A Wonderful Life〉

말씀 써보기

20_____년 ____월 ____일

말씀 새겨보기

Q1. 예수님이 이 땅에 찾아오신 것을 키에르케고르는 어떤 이야기에 비유하였나요?

Q2. 예수님의 사랑이 우리에게 어떤 의미가 있는지 이야기해 보세요.

Q3. 성탄을 통해 우리가 배워야 할 성품은 무엇일까요?

Q4. 성탄을 통해 배울 수 있는 예수님의 마음, 성품은 어떤 것일까요?

오늘의 주제

하나님의 시간, 카이로스

Time of God, Cairo

본문 사 43:18-20

너희는 이전 일을 기억하지 말며 옛날 일을 생각하지 말라 보라 내가 새 일을 행하리니 이제 나타낼 것이라 너희가 그것을 알지 못하겠느냐 반드시 내가 광야에 길을 사막에 강을 내리니 장차 들짐승 곧 승냥이와 타조도 나를 존경할 것은 내가 광야에 물을, 사막에 강들을 내어 내 백성, 내가 택한 자에게 마시게 할 것임이라.

외울 말씀

"너희는 이전 일을 기억하지 말며 옛날 일을 생각하지 말라."(사 43:18)

관련 동영상

카이로스 크로노스

말씀 써보기

20______ 년 _____ 월 _____ 일

말씀 새겨보기

Q1. 한 해를 마무리 하면서 나의 크로노스 시간과 카이로스의 시간을 이야기해 봅시다.

Q2. 나의 카이로스적 시간은 어떤 시간이었는지를 이야기해 봅니다.

Q3. 카이로스의 시간이 맞이하게 될 나의 파루시아는 어떤 것인지 이야기해 봅시다.

Q4. 새해는 어떤 카이로스의 시간을 가질 것인지 서로 돌아가며 이야기해 봅시다.

MEMO

MEMO

MEMO

MEMO

MEMO

MEMO

언택트 시대의
크리스천
가치관 수업

묵상노트

1판 1쇄 인쇄 2021년 6월 10일
1판 1쇄 발행 2021년 6월 15일

지은이 김재헌

발행인 김영대
표지디자인 김영대
편집디자인 임나영
펴낸 곳 대경북스
등록번호 제 1-1003호
주소 서울시 강동구 천중로42길 45(길동 379-15) 2F
전화 (02)485-1988, 485-2586~87
팩스 (02)485-1488
홈페이지 http://www.dkbooks.co.kr
e-mail dkbooks@chol.com